le petit livre

CARAMBAR®

GARLONE BARDEL

PHOTOGRAPHIES DE RICHARD BOUTIN

MARABOUT

SOMMAIRE

KIT CRÈMES

Revisitez les grands classiques des crèmes au caramel version CARAMBAR® — pâte à tartiner maison, coulis au beurre salé, glaçage —, qui viendront donner une saveur d'enfance à vos goûters et à vos desserts.

PÂTE À TARTINER MAISON AU CARAMBAR®
POUR UN POT À CONFITURE ENVIRON

150 g de purée de noisettes (épiceries bio)
150 g de chocolat au praliné
10 CARAMBAR®
25 cl de crème fleurette

Dans une casserole portée sur feu moyen, faire fondre les CARAMBAR® dans la crème fleurette en remuant. Quand ils sont complètement dissous, ajouter le chocolat au praliné et le laisser fondre en remuant constamment, puis ajouter hors du feu la purée de noisettes. Remuer énergiquement jusqu'à obtention d'une pâte à tartiner onctueuse. Tartiner au petit déjeuner ou au goûter, et conserver au réfrigérateur jusqu'à la prochaine dégustation. Penser à sortir la pâte à tartiner du réfrigérateur environ 30 minutes avant de la consommer pour qu'elle ramollisse.

COULIS DE CARAMBAR®
POUR 20 CL DE COULIS

10 CARAMBAR®
10 cl de crème fleurette
20 g de beurre salé

Dans une casserole portée sur feu moyen, faire fondre les CARAMBAR® dans la crème en remuant. Quand ils sont dissous, ajouter le beurre et mélanger. Servir chaud, sur des gaufres, des crêpes, de la glace…

GLAÇAGE AU CARAMBAR®
POUR LE GLAÇAGE D'UN CAKE OU D'UNE DOUZAINE DE CHOUX

6 CARAMBAR®
3 cuillerées à soupe de crème fleurette
2 pincées de sel

Faire fondre à feu moyen les CARAMBAR® dans la crème fleurette, puis ajouter le sel. Quand le mélange est homogène, le verser aussitôt sur un gâteau, un cake ou des petits choux avant que le glaçage ne fige.

KIT « JUSTE TRANSFORMÉ »

Pour rendre une boisson lactée encore plus savoureuse, il est possible d'ajouter une touche de saveur CARAMBAR®. Le lait peut à chaque fois être remplacé par un lait végétal en cas de préférence ou d'intolérance.

LAIT AU CARAMBAR®
POUR UN VERRE

1 grand verre de lait
2 CARAMBAR®

Dans une casserole, faire fondre les CARAMBAR® dans le lait en remuant jusqu'à complète dilution. Verser dans un verre et déguster au goûter, chaud, tiède ou froid selon l'envie et la saison.

CHOCOLAT AU LAIT AU CARAMBAR®
POUR UN BOL

1 bol de lait
20 g de chocolat noir
1 CARAMBAR®

Dans une casserole, faire fondre le chocolat et le CARAMBAR® dans le lait en remuant constamment. Quand le mélange est homogène, verser bien chaud dans un bol pour un goûter d'hiver parfumé et réconfortant.

GLAÇONS AU CARAMBAR®
POUR UNE PLAQUE DE GLAÇONS

1 verre de lait
4 CARAMBAR®

Faire fondre les CARAMBAR® dans une casserole avec le lait, en remuant jusqu'à complète dilution. Laisser refroidir, puis répartir dans les alvéoles d'un bac à glaçons et placer au congélateur. Quand les glaçons seront pris, ils permettront de rafraîchir et d'aromatiser des verres de lait en été.

KIT FONDUES

Les fondues au chocolat ou au caramel comptent parmi les desserts les plus réconfortants au cœur de l'hiver… Venez y tremper des brochettes de fruits, des morceaux de brioche ou des Chamallows !

CARAMBAR® & CRÈME FLEURETTE
POUR UN BOL À FONDUE

25 cl de crème fleurette
8 CARAMBAR®
une pincée de sel

Dans une casserole, faire fondre à feu moyen les CARAMBAR® dans la crème fleurette en remuant. Quand ils sont bien dissous, ajouter la pincée de sel et verser dans une coupelle. Chacun pourra venir y tremper, à l'aide de brochettes, des morceaux de fruits (pommes, poires, clémentines, kiwis…), des cubes de brioche grillée ou encore des Chamallows.

CARAMBAR® & PRALINÉ
POUR UN BOL À FONDUE

25 cl de crème fleurette
50 g de chocolat au praliné
6 CARAMBAR®

Dans une casserole, faire fondre à feu moyen les CARAMBAR® et le chocolat au praliné dans la crème fleurette en remuant constamment. Quand le mélange est homogène, le verser bien chaud dans une coupelle. Chacun pourra venir y tremper, à l'aide de brochettes, des morceaux de fruits (pommes, poires, clémentines, kiwis…), des cubes de brioche grillée ou encore des Chamallows.

CARAMBAR® & CHOCOLAT NOIR
POUR UN BOL À FONDUE

25 cl de crème de fleurette
50 g de chocolat noir
6 CARAMBAR®

Dans une casserole, faire fondre les CARAMBAR® et le chocolat dans la crème en remuant constamment. Quand le mélange est homogène, le verser bien chaud dans une coupelle. Chacun pourra venir y tremper, à l'aide de brochettes, des morceaux de fruits (pommes, poires, clémentines, kiwis…), des cubes de brioche grillée ou encore des Chamallows.

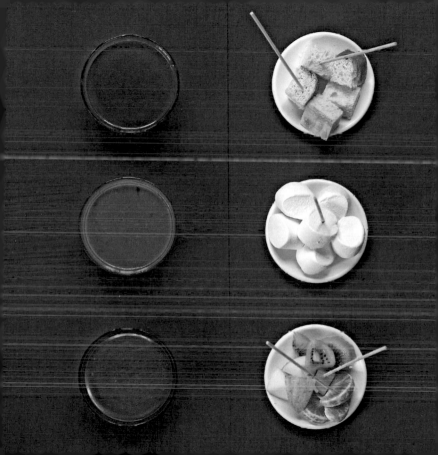

CIGARETTES RUSSES AU PRALINÉ DE CARAMBAR®

15 MIN DE PRÉPARATION - 20 MIN DE CUISSON - 1 H DE REPOS

**POUR
UNE VINGTAINE
DE CIGARETTES**

20 cigarettes russes
environ

3 CARAMBAR®

1 cuillerée à soupe
de sucre semoule

2 jaunes d'œuf

30 g de chocolat
au praliné

10 cl de lait

1- Dans une casserole, faire fondre en mélangeant sans cesse
le chocolat coupé en morceaux avec les CARAMBAR® et
le lait. Lorsque le mélange est homogène, retirer la casserole
du feu et laisser refroidir.
2- Fouetter dans un bol les jaunes d'œuf et le sucre jusqu'à
ce que le mélange blanchisse. Ajouter le mélange
au CARAMBAR® en fouettant, puis transférer cette préparation
dans la casserole, porter sur feu doux et laisser bien épaissir
en remuant. Laisser refroidir au frais pendant 1 heure.
3- Fourrer les cigarettes russes du praliné de CARAMBAR®
à l'aide d'une poche à douille ou d'une petite cuillère.
Ces cigarettes sont délicieuses au goûter ou pour
accompagner le café.

FINANCIERS AU CARAMBAR®

15 MIN DE PRÉPARATION - 15 MIN DE CUISSON

POUR 12 FINANCIERS

4 CARAMBAR®

2 cuillerées à soupe
de crème fleurette

50 g de farine

3 blancs d'œuf

100 g de sucre glace

80 g d'amandes
en poudre

100 g de beurre doux
+ 1 noix de beurre pour
les moules

une pincée de sel

1 - Préchauffer le four à 210 °C (th. 7).
2 - Mélanger la farine, le sucre glace, la poudre d'amandes
et le sel. Verser les blancs d'œuf dessus et mélanger le tout.
Faire fondre le beurre dans une petite casserole, le verser
sur le mélange aux amandes et mélanger de nouveau. Remplir
aux trois quarts les moules à financier de la pâte obtenue.
3 - Dans une casserole, faire fondre les CARAMBAR® avec
la crème fleurette, puis mettre une petite cuillerée de
ce mélange au centre de chacun des financiers. Enfourner
et laisser cuire pendant environ 15 minutes, jusqu'à ce qu'ils
soient bien dorés.

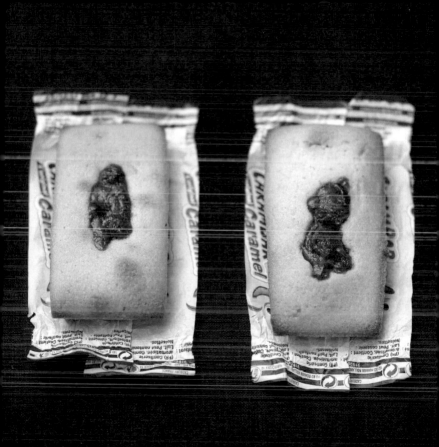

COOKIES GINGEMBRE ET CARAMBAR®

10 MIN DE PRÉPARATION - 12 MIN DE CUISSON

**POUR
UNE VINGTAINE
DE COOKIES**

300 g de farine

100 g de beurre mou

150 g de sucre
cassonade

2 œufs

½ sachet de levure

1 cuillerée à café rase
de sel

10 petits cubes
de gingembre confit

7 CARAMBAR®

1- Préchauffer le four à 180 °C (th. 6). Couvrir la plaque
de papier sulfurisé.

2- Mélanger dans un saladier la farine, la levure et le sel. Battre
au fouet le beurre avec le sucre. Incorporer les œufs en
continuant à fouetter, puis ajouter délicatement le mélange
à base de farine.

3- Couper le gingembre confit et les CARAMBAR® en petits
dés, les jeter dans la pâte et mélanger.

4- Disposer des petits tas de pâte de la taille d'une noix sur
la plaque en les espaçant bien les uns des autres. Enfourner
et faire cuire pendant 12 minutes environ.

5- Laisser refroidir et servir, au moment du thé, en fin de repas
avec le café ou comme petit en-cas.

MUFFINS CITRON ET CARAMBAR®

15 MIN DE PRÉPARATION - 20 MIN DE CUISSON

POUR 6 MUFFINS

125 g de farine + un peu

1 sachet de levure

125 g de miel liquide

1 œuf

10 cl d'huile

le zeste finement râpé d'un citron non traité

40 g de zestes de citrons confits

4 CARAMBAR®

1- Préchauffer le four à 180 °C (th. 6).

2- Mélanger dans un saladier la farine, la levure et le miel chaud. Laisser tiédir, puis ajouter l'œuf et mélanger. Ajouter alors l'huile et mélanger de nouveau jusqu'à obtention d'une pâte onctueuse.

3- Couper les CARAMBAR® en petits dés. Couper les zestes de citron confits en dés de la même taille et les rouler dans de la farine. Jeter le zeste de citron râpé ainsi que les dés de zeste de citrons confits et de CARAMBAR® dans la pâte.

4- Répartir la pâte dans des moules à muffins en les remplissant aux trois quarts, enfourner et laisser cuire pendant 20 minutes.

ROULÉ À LA CRÈME DE **CARAMBAR**®

20 MIN DE PRÉPARATI

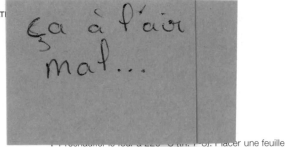

ça à l'air mal...

POUR 6 PERSONNES

6 œufs

150 g de sucre en poudre

1 sachet de sucre vanillé

100 g de farine

une pincée de sel

200 g de pâte à tartiner au **CARAMBAR**® (voir p. 4)

1 cuillerée à soupe de sucre glace

1- Préchauffer le four à 220 °C (th. 7-8). Placer une feuille de papier sulfurisée sur une plaque allant au four.

2- Casser 3 œufs et séparer les blancs des jaunes. Mettre les blancs dans un saladier, ajouter le sel et monter en neige très ferme. Battre à l'aide d'un fouet les jaunes avec les œufs entiers. Ajouter le sucre en poudre et le sucre vanillé, puis mélanger au fouet jusqu'à ce que le mélange blanchisse. Incorporer délicatement les blancs en neige, puis ajouter la farine en pluie et mélanger, toujours avec délicatesse.

3- Verser la pâte sur la plaque du four en un rectangle de 1 cm d'épaisseur. Enfourner et faire cuire 15 à 20 minutes.

4- À la sortie du four, retourner le biscuit sur un torchon légèrement humide. Laisser refroidir quelques instants, puis tartiner le biscuit avec la pâte à tartiner au CARAMBAR® et le rouler sur lui-même.

5- Au moment de servir, saupoudrer à l'aide d'une passoire le gâteau roulé de sucre glace.

CLUB-SANDWICHS À LA CRÈME DE CARAMBAR®

5 MIN DE PRÉPARATION - 2 MIN DE CUISSON

POUR 4 PERSONNES

6 grandes tranches
de pain de mie

120 g environ de pâte
à tartiner au CARAMBAR®
(voir p. 4)

1- Faire griller les tranches de pain de mie au grille-pain
ou sous le gril très chaud du four jusqu'à ce qu'elles soient
bien dorées, puis couper chacune d'elles en deux dans
la diagonale.

2- Tartiner généreusement de pâte à tartiner au CARAMBAR®
huit demi-tranches de pain de mie.

3- Monter quatre club-sandwichs en superposant deux
demi-tranches de pain tartinées et une non tartinée. Servir
aussitôt, pour le goûter.

MOUSSES CHOCOLAT ET **CARAMBAR**®

20 MIN DE PRÉPARATION - 5 MIN DE CUISSON - 2 H DE REPOS AU MINIMUM

Ça à f'cencore mieux :)

POUR 4 PERSONNES

4 CARAMBAR®
120 g de chocolat noir
4 œufs
une pincée de sel

1- Faire fondre au bain-marie le chocolat coupé en morceaux et les CARAMBAR®. Bien mélanger jusqu'à obtention d'une préparation homogène, puis laisser tiédir.
2- Casser les œufs en séparant les blancs des jaunes. Monter les blancs avec la pincée de sel en neige ferme. Ajouter les jaunes dans la préparation au chocolat et mélanger, puis incorporer délicatement les blancs en neige.
3- Répartir la mousse chocolat-CARAMBAR® dans des verres ou des coupelles, et réserver au réfrigérateur pendant au moins 2 heures avant de servir.

CRÈMES **CARAMBAR**® & BROCHE

15 MIN DE PRÉPARATION - 20 MIN DE CUISSON - 1 H DE REPOS

POUR 4 PERSONNES

6 CARAMBAR®

60 g de chocolat
au praliné

4 jaunes d'œuf

15 cl de lait

2 cuillerées à soupe
de sucre semoule

4 tranches de brioche

1- Faire fondre dans une casserole le chocolat au praliné
et les CARAMBAR® avec le lait. Retirer du feu et laisser tiédir.
2- Fouetter les jaunes d'œuf et le sucre dans un bol jusqu'à
ce que le mélange blanchisse, puis incorporer le mélange
chocolat-CARAMBAR® encore tiède en fouettant vivement.
Verser dans la casserole et mettre sur feu doux pour faire
épaissir en remuant constamment.
3- Quand la crème est bien épaisse, la répartir dans des verres
ou coupelles et réserver au frais pendant au moins 1 heure.
4- Avant de servir, faire dorer les tranches de brioche
au grille-pain et les découper en mouillettes. Servir les crèmes
praliné-CARAMBAR® avec les mouillettes bien chaudes.

ÎLES FLOTTANTES AU CARAMBAR®

30 MIN DE PRÉPARATION - 20 MIN DE CUISSON

POUR 4-6 PERSONNES

25 cl de lait entier

10 cl de crème fleurette

65 g de sucre semoule

1 gousse de vanille

6 CARAMBAR®

4 jaunes d'œuf

3 blancs d'œuf

1 l d'eau

1- Porter à ébullition dans une casserole le lait, la crème fleurette, la gousse de vanille, fendue en deux dans le sens de la longueur, et les CARAMBAR®.

2- Fouetter dans un bol les jaunes d'œuf avec 15 g de sucre jusqu'à ce que le mélange blanchisse. Sans cesser de remuer, incorporer la moitié du lait au CARAMBAR®, puis transvaser le tout dans la casserole. Laisser épaissir à feu doux en remuant constamment. La crème ne doit jamais bouillir… Quand elle a épaissi, laisser refroidir et réserver au frais.

3- Faire chauffer l'eau dans une large casserole. Pendant ce temps, monter les blancs en neige très ferme, en ajoutant le reste de sucre (50 g) quand ils commencent à monter. À l'aide d'une cuillère à soupe trempée dans de l'eau froide, prélever des cuillerées de blancs en neige pour les faire pocher dans l'eau frémissante pendant environ 3 minutes de chaque côté. Récupérer les blancs cuits avec une écumoire et les déposer sur du papier absorbant.

4- Répartir la crème anglaise au CARAMBAR® dans des coupelles et déposer sur chaque portion un ou deux blancs pochés. Servir bien frais.

PANNA COTTA CARAMBAR® & FRUITS ROUGES

15 MIN DE PRÉPARATION - 5 MIN DE CUISSON - 30 MIN DE REPOS AU MINIMUM

POUR 4 PERSONNES

30 cl de lait entier

10 cl de crème fleurette

6 CARAMBAR®

2 g d'agar-agar
(épicerie bio)

125 g de fruits rouges
mélangés

1 cuillerée à soupe
de sucre

1 cuillerée à soupe d'eau

1- Mettre dans une casserole le lait, la crème fleurette, les CARAMBAR® et l'agar-agar. Porter à ébullition, puis baisser le feu et laisser cuire pendant 3 minutes tout en remuant constamment.

2- Répartir la crème dans des ramequins, la laisser refroidir et réserver au frais pendant 30 minutes au minimum.

3- Poêler pendant quelques minutes les fruits avec l'eau et le sucre sur feu vif, puis les mixer.

4- Démouler les panna cotta et répartir le coulis de fruits rouges autour.

CRÈMES BRÛLÉES AU CARAMBAR®

15 MIN DE PRÉPARATION - 1 H DE CUISSON - 2 H DE REPOS

POUR 4 PERSONNES

5 jaunes d'œuf

100 g de sucre

4 CARAMBAR®

50 g de crème fleurette entière

1 gousse de vanille

1- Préchauffer le four à 90 °C (th. 3).

2- Fouetter dans un grand bol les jaunes d'œuf avec le sucre jusqu'à ce que mélange blanchisse. Ajouter la crème fleurette et les graines de la gousse de vanille, puis fouetter vivement.

3- Répartir la crème dans des moules à crème brûlée ou dans des ramequins. Préparer un bain-marie, poser les moules dedans, enfourner et faire cuire pendant 1 heure.

4- À la sortie du four, laisser refroidir et réserver au réfrigérateur pendant 2 heures au minimum.

5- Juste avant de servir, râper les CARAMBAR®, en parsemer les crèmes et les passer pendant quelques instants sous le gril très chaud du four. Servir aussitôt.

PETITS POTS DE CRÈME AU CARAMBAR®

15 MIN DE PRÉPARATION - 50 MIN DE CUISSON

1- Préchauffer le four à 180 °C (th. 6).

2- Faire fondre les CARAMBAR® avec le lait dans une casserole en remuant constamment. Retirer du feu et réserver.

3- Battre les œufs dans un bol et leur incorporer le lait au CARAMBAR® en remuant vivement. Répartir le mélange obtenu dans des ramequins, placer ces derniers dans un plat avec de l'eau jusqu'à mi-hauteur et enfourner. Faire cuire dans ce bain-marie pendant 45 minutes.

4- À la sortie du four, laisser refroidir avant de réserver dans le réfrigérateur. Servir bien frais.

POUR 4 PERSONNES

6 CARAMBAR®

2 œufs

30 cl de lait

RIZ AU LAIT AU CARAMBAR®

20 MIN DE PRÉPARATION - 30 MIN DE CUISSON

POUR 4 PERSONNES

130 g de riz rond

6 CARAMBAR®

65 cl de lait

1 sachet de sucre vanillé

1- Laver le riz et le faire cuire pendant 5 minutes dans une casserole d'eau bouillante, en remuant de temps à autre.
2- Égoutter le riz, le remettre dans la casserole et ajouter le lait, les CARAMBAR® et le sucre vanillé. Porter à ébullition tout en remuant, puis baisser le feu et faire cuire à feu doux pendant 25 minutes.
3- Verser le riz au lait dans des coupelles et laisser refroidir avant de servir.

MILK-SHAKES GLACÉS AU CARAMBAR®

10 MIN DE PRÉPARATION - 5 MIN DE CUISSON

POUR 4 PERSONNES

80 cl de lait

8 CARAMBAR®

8 boules de glace
à la vanille

1- Faire fondre les CARAMBAR® dans une casserole avec
le lait. Laisser refroidir.
2- Dans un blender ou à l'aide d'un mixeur, mixer ensemble
le lait au CARAMBAR® et la glace à la vanille.
3- Répartir le milk-shake dans de grands verres et servir
aussitôt, en dessert ou pour le goûter.

CRUMBLE POIRE-ANANAS ET CARAMBAR®

15 MIN DE PRÉPARATION - 30 MIN DE CUISSON

POUR 4 PERSONNES

2 poires

1 ananas Victoria

½ citron

75 g de beurre + un peu
pour le plat

75 g de cassonade

75 g de farine

75 g d'amandes
en poudre

8 CARAMBAR®

1- Préchauffer le four à 180 °C (th. 6).

2- Peler l'ananas et les poires. Couper les fruits en cubes
d'environ 1 cm de côté, les mettre dans un plat à gratin beurré
et les arroser avec le jus du demi-citron.

3- Dans un bol, couper le beurre en petits morceaux. Ajouter
la cassonade, la farine et les amandes en poudre. Mélanger le
tout du bout des doigts jusqu'à obtention d'une pâte sableuse,
puis répartir celle-ci sur les fruits.

4- Couper les CARAMBAR® en petits cubes à l'aide d'un gros
couteau et les parsemer sur le crumble.

5- Enfourner le plat et laisser cuire pendant 30 minutes.
Servir bien chaud ou légèrement tiédi.

TARTE NORMANDE & CARAMBAR®

15 MIN DE PRÉPARATION - 40 MIN DE CUISSON

POUR 6 PERSONNES

1 rouleau de pâte sablée

25 cl de crème fraîche fleurette

8 CARAMBAR®

½ cuillerée à café de cannelle

4 pommes reine des reinettes

4 œufs

1 noix de beurre

1 cuillerée à soupe de farine

1- Préchauffer le four à 160 °C (th. 5).

2- Beurrer un moule à tarte, le fariner et y placer la pâte sablée. Réserver au réfrigérateur.

3- Éplucher les pommes, les couper en deux et retirer

4- le trognon, puis détailler chaque moitié en fines lamelles, en veillant à ce que les lamelles restent assemblées.

5- Dans une casserole, faire fondre à feu doux les CARAMBAR® dans la crème fleurette. Mettre hors du feu et laisser refroidir, puis ajouter les œufs ainsi que la cannelle et mélanger. Disposer les demi-pommes coupées en lamelles sur la pâte et verser par-dessus le mélange à la crème de CARAMBAR®.

6- Enfourner pour environ 40 minutes, jusqu'à ce que la pâte soit bien dorée et que la crème soit figée et un peu gonflée.

COMPOTE POIRES CARDAMOME & CARAMBAR®

10 MIN DE PRÉPARATION - 10 MIN DE CUISSON

POUR 4 PERSONNES

4 poires mûres

20 g de beurre salé

1 sachet de sucre vanillé

3 gousses de cardamome
ou ½ cuillerée à café
de cardamome moulue

4 CARAMBAR®

1- Peler les poires et les couper en dés. Faire fondre le beurre dans une poêle chaude. Ajouter les poires, le sucre vanillé et les graines de cardamome, puis laisser cuire jusqu'à ce que les fruits soient tendres.
2- En fin de cuisson, ajouter les CARAMBAR® coupés en petits dés. Dès qu'ils commencent à fondre, mettre hors du feu et déguster aussitôt.

MANGUES RÔTIES AU CARAMBAR®

10 MIN DE PRÉPARATION - 20 MIN DE CUISSON

POUR 4 PERSONNES

2 mangues

1 citron vert

30 g de beurre

30 g de sucre

40 cl d'eau

1 orange

2 bâtons de cannelle

4 CARAMBAR®

1- Peler les mangues, les couper en deux, les dénoyauter et découper chaque demi-mangue en lamelles, sans les désolidariser. Presser l'orange. Presser le citron.

2- Faites cuire les mangues ainsi coupées dans une poêle portée sur feu doux avec l'eau, le jus d'orange, le sucre et les bâtons de cannelle pendant 15 minutes, jusqu'à évaporation complète du liquide.

3- Ajouter alors le beurre et laisser rissoler 2 à 3 minutes, puis ajouter les CARAMBAR® coupés en petits dés et laisser cuire pendant encore 2 à 3 minutes.

4- Ajouter le jus de citron vert et servir aussitôt, bien chaud.

POMMES RÔTIES AUX ÉPICES ET AUX FRUITS SECS

10 MIN DE PRÉPARATION - 25 MIN DE CUISSON

POUR 4 PERSONNES

4 pommes (reine des reinettes)

3 dattes

environ 16 noisettes décortiquées

1 orange

4 CARAMBAR®

1 cuillerée à café de quatre-épices

1- Préchauffer le four à 180 °C (th. 6). Couvrir un plat à four de papier sulfurisé.

2- Laver les pommes et les évider par le haut pour retirer les trognons sans percer la base. Couper les dattes en petits morceaux. Concasser grossièrement les noisettes. Couper les CARAMBAR® en petits dés.

3- À l'aide d'un couteau, prélever la moitié du zeste de l'orange en une longue bande. Le faire blanchir 5 minutes dans une casserole d'eau bouillante, puis l'égoutter et le couper en petits morceaux.

4- Mélanger dans un bol les dattes, les noisettes, les morceaux de zeste d'orange, le quatre-épices et les dés de CARAMBAR®.

5- Placer les pommes dans le plat et les garnir du mélange aux fruits secs et au CARAMBAR®. Enfourner et laisser cuire pendant 20 minutes.

6- Servir dès la sortie du four, avec une tisane de verveine au miel.

BRIOCHE PERDUE AUX FRUITS DE LA PASSION

10 MIN DE PRÉPARATION - 10 MIN DE CUISSON

POUR 4 PERSONNES

4 tranches de brioche

25 cl de lait

6 CARAMBAR®

2 œufs

40 g de beurre

sucre glace

4 fruits de la Passion

1 - Dans une casserole, faire fondre les CARAMBAR® avec le lait. Verser dans une assiette creuse et laisser refroidir, puis ajouter les œufs et mélanger à l'aide d'une fourchette.
2 - Tremper les tranches de brioche dans le mélange et les déposer dans une poêle chaude beurrée portée sur feu vif. Les faire cuire pendant quelques minutes de chaque côté, jusqu'à ce qu'elles soient bien dorées.
3 - Les saupoudrer de sucre glace avant de servir et accompagner chaque tranche de la pulpe d'un fruit de la Passion.

MOELLEUX CHOCOLAT ET CŒUR CARAMBAR®

Definitively the best 😊

Bien sûr tu auras pu remarquer que cela va crescendo

[...]t le chocolat, cassé
[...]re dans un saladier
[...]uis incorporer
[...]a farine en la versant
[...]u fouet. Réserver

[...]crème fleurette et
[...]le.

4- Beurrer six ramequins de 5 cm de diamètre. Les remplir
aux trois quarts du mélange au chocolat, puis déposer
au centre 1 cuillerée de mélange au CARAMBAR®. Enfourner
les ramequins, laisser cuire pendant environ 15 minutes
et déguster sans attendre.

170 g de beurre
225 g de sucre
6 œufs
75 g de farine tamisée

TRIFLES GRANOLA ET AU COULIS DE CARAMBAR®

15 MIN DE PRÉPARATION - 3 MIN DE CUISSON

POUR 4 PERSONNES

8 cuillerées à soupe
de granola

20 cl de crème fleurette
entière très froide

1 sachet de sucre vanillé

½ cuillerée à café
de cardamome en poudre

6 CARAMBAR®

4 cuillerées à soupe
de crème fleurette

2 pincées de sel

1- Placer un saladier et les fouets du batteur dans
le congélateur 30 minutes au moins avant de commencer
la recette.

2- Sortir le saladier et les fouets, mettre la crème fleurette très
froide dans le saladier et fouetter à vitesse lente. Quand
la chantilly commence à prendre, ajouter le sucre vanillé
et la cardamome, et poursuivre à vitesse rapide jusqu'à ce
que la chantilly soit ferme. Réserver au frais.

3- Dans une casserole portée sur feu moyen, faire fondre
les CARAMBAR® avec les 4 cuillerées à soupe de crème
fleurette. Ajouter le sel et mélanger.

4- Monter les trifles dans des verres ou des coupelles :
placer dans chacun 2 cuillerées à soupe de granola, couvrir
d'une généreuse couche de crème fouettée et arroser le tout
de coulis au CARAMBAR®. Déguster aussitôt !

PASTILLA AU CARAMBAR® ET FLEUR D'ORANGER

30 MIN DE PRÉPARATION - 20 MIN DE CUISSON

POUR 4 PERSONNES

12 feuilles de brick

25 cl de lait entier

25 cl de crème fleurette entière

15 cl d'eau

4 CARAMBAR®

1 cuillerée à soupe d'eau de fleur d'oranger

25 g de Maïzena

sucre glace

huile d'olive

1- Préchauffer le four à 180 °C (th. 6).

2- Dans une casserole, faire fondre les CARAMBAR® dans le lait et la crème en remuant.

3- Diluer la Maïzena dans l'eau et verser dessus un peu de lait chaud au CARAMBAR®, puis transférer le tout dans la casserole et laisser épaissir sur feu doux en remuant constamment. Retirer du feu, ajouter l'eau de fleur d'oranger, bien mélanger et laisser refroidir.

4- Pendant ce temps, découper des disques de 8 à 10 cm de diamètre dans les feuilles de brick à l'aide d'un emporte-pièce, ou en les coupant aux ciseaux à la taille d'un bol. Les badigeonner d'huile à l'aide d'un pinceau et les faire dorer pendant quelques minutes au four.

5- Juste avant de servir, monter les pastillas en alternant feuilles de brick et couches de crème jusqu'à épuisement des ingrédients.

6- Saupoudrer de sucre glace et servir immédiatement.

TIRAMISU AU CARAMBAR®

20 MIN DE PRÉPARATION - I NUIT DE REPOS

POUR 6 PERSONNES

20 cl de lait

8 CARAMBAR®

300 g de biscuits
à la cuiller

4 œufs

400 g de mascarpone

2 sachets de sucre vanillé

4 cuillerées à soupe rases
de cacao amer

une pincée de sel

1- Casser les œufs en séparant les blancs des jaunes. Battre les jaunes avec le sucre vanillé et, quand le mélange commence à blanchir, ajouter le mascarpone en fouettant énergiquement. Monter les blancs en neige avec une pincée de sel, puis les incorporer délicatement au mélange au mascarpone. Réserver au réfrigérateur.

2- Dans une casserole, faire fondre à feu doux les CARAMBAR® dans le lait. Retirer du feu, transférer dans une assiette creuse et laisser tiédir.

3- Tremper les biscuits à la cuiller dans le lait au CARAMBAR®. Disposer des biscuits dans le fond d'un moule à gratin, les couvrir d'une couche de crème au mascarpone, ajouter une couche de biscuits et une nouvelle couche de crème. Mettre au réfrigérateur pendant une nuit.

4- Le lendemain, au moment de servir, saupoudrer le tiramisu de caçao amer à l'aide d'une passoire fine.

CHOUX CHANTILLY ET COULIS DE CARAMBAR®

30 MIN DE PRÉPARATION - 35 MIN DE CUISSON ENVIRON

POUR 4 PERSONNES

PÂTE À CHOUX

100 g de farine

85 g de beurre

2 œufs

une pincée de sel

15 cl d'eau

CHANTILLY

20 cl de crème fleurette
entière très froide

2 sachets de sucre vanillé

COULIS DE CARAMBAR®

2 cuillerées à soupe
de crème fleurette

4 CARAMBAR®

sucre glace

1- Préchauffer le four à 180 °C (th. 6). Tapisser la plaque
du four de papier sulfurisé. Placer un grand bol et les fouets
du batteur dans le congélateur.

2- Dans une casserole, faire fondre le beurre avec 15 cl d'eau
et la pincée de sel. Retirer du feu, ajouter la farine d'un coup
et remuer vivement jusqu'à ce que la pâte se détache du bord
de la casserole. Remettre celle-ci sur feu vif et fouetter la pâte
énergiquement pendant 2 minutes environ pour la dessécher.
Retirer du feu, ajouter les œufs et bien mélanger. Disposer
sur la plaque du four, à l'aide d'une poche à douille ou d'une
cuillère, des petites boules de pâte de 2 cm de diamètre
environ bien espacées les unes des autres. Enfourner et laisser
cuire pendant 30 minutes, puis laisser les choux refroidir sur
une grille.

3- Sortir les fouets et le bol du congélateur. Verser dans
ce dernier la crème fleurette froide et la fouetter à vitesse
moyenne. Lorsqu'elle est bien montée, ajouter le sucre vanillé
et fouetter encore un peu à vitesse rapide. Réserver au frais.

4- Préparer le coulis en faisant fondre les CARAMBAR® avec
la crème fleurette dans une casserole portée sur feu doux.

5- Découper le chapeau des choux, garnir ceux-ci de chantilly,
remettre les chapeaux et arroser les choux de coulis
de CARAMBAR®. Saupoudrer de sucre glace et servir aussitôt.

TARTELETTES NOIX & CARAMBAR®

15 MIN DE PRÉPARATION - 15 MIN DE CUISSON

POUR 4 PERSONNES

1 rouleau de pâte sablée
pur beurre

250 g de cerneaux
de noix

15 cl de crème fleurette

10 CARAMBAR®

1 noix de beurre

1 cuillerée à soupe
de farine

1- Préchauffer le four à 180 °C (th. 6).
2- Dérouler la pâte sablée et couper dedans quatre disques
à la taille des moules à tartelette. Beurrer et fariner les moules,
puis y disposer les disques de pâte. Les piquer à l'aide d'une
fourchette, placer une feuille de papier sulfurisé sur chaque
fond de pâte et ajouter une couche de légumes secs ou de riz.
Enfourner et faire cuire les pâtes à blanc pendant 12 minutes.
3- Dans une casserole, faire fondre à feu doux les
CARAMBAR® dans la crème fleurette. Sortir les fonds
de tartelette du four.
4- Y répartir les cerneaux de noix, verser la crème
au CARAMBAR® par-dessus et enfourner de nouveau
pour 3 minutes. Servir chaud ou froid.

GLACE AU CARAMBAR®

20 MIN DE PRÉPARATION - 1 MIN DE CUISSON - 8 H DE REPOS

POUR 4-6 PERSONNES

100 g de sucre

8 jaunes d'œuf

8 CARAMBAR®

80 cl de lait entier

20 cl de crème fleurette entière

1 gousse de vanille

1- Fouetter dans un grand bol le sucre et les jaunes d'œuf jusqu'à ce que le mélange blanchisse.

2- Verser le lait dans une casserole, ajouter les CARAMBAR®, les faire fondre et porter à ébullition. Laisser tiédir, puis ajouter la crème fleurette et les graines de la gousse de vanille.

3- Verser la préparation précédente sur le mélange d'œufs et de sucre en remuant vivement.

4- Réserver pendant environ 8 heures au réfrigérateur.

5- Au moment de servir, turbiner la glace dans la sorbetière et déguster aussitôt.

Relecture et mise en page : Chloé Chauveau

© Hachette Livre (Marabout) 2011
ISBN : 978-2-501-07323-3
40.7680-8/07
Achevé d'imprimer en octobre 2011
sur les presses d'Impresia-Cayfosa
Dépôt Légal : novembre 2011